本朝百将伝

はじめに

本書は当店の所蔵している和本で、名将と呼ばれるにふさわしい百人の武将を集めた版画集だ。記紀に登場する道臣命から戦国時代に終止符を打った豊臣秀吉に至るまで、計百人を取り上げている。それぞれの武将の姿を描き、その上に林道春（羅山）の賛がある。

使用した本の表紙は傷みが激しいものの、本文は奇跡的に虫食いや傷みもない。内容的にも貴重で興味深く、ここに復刻出版することにした。ただ残念なのは奥付を欠いており、発行年や出版者名などが分からないことだ。

同名の本が国会図書館にある。それによると明暦二年（一六五六）に大西与三左衛門尉俊光によって出されており、乾坤二冊から成っている。当店の所蔵する本はそれが一冊にまとめられており、その後に増刷されたと思われる。

版はまったく同じものを使用しているが、表紙に付けられた題名の書体は異なっている。当方の本のサイズは縦が約三〇・五センチ、横が約二三・〇センチで、いまでいうA４を少し上回るほどの大判である。復刻するに当たっては八七％に縮小した（ただし、表紙は五〇％に）。

使用した本は一冊にまとめられているが、乾坤二冊から成る初版は乾の巻が源頼朝で終わり、坤は源義経から始まっている。また、ごく一部には並べる順序の違うところもある。

数多の武将の中から百人を選び出すのは大変な作業と思われる。神話などで登場してくる人物が多かったり、いまではなじみ深い戦国期の武将が少なかったりしているのも、当時の時代や人々の意識を反映してのものであろう。同書の出版は江戸時代に入った比較的早い時期で、後に出る「日本百将伝」などの参考にもされていったと思われる。

この本は歴史に登場した名将たちを視覚的に表現していて興味深いものがある。より広く利用していただくため、著作権フリーで提供することにした。教材や印刷物、ホームページなどでこのまま使用したり、あるいは着色・加工するなどして自由に活用していただいても構わない。

先に戦国時代の武将の紹介は少ないと書いた。これに類するものとして当店では「自由に使える戦国武将肖像画集」も出している。こちらも同様に活用していただくのを期待したい。

（ブックショップマイタウン店主・舟橋武志）

朝百將傳

道臣《ミトミノ》命《ミコト》者
神武帝東征《ノ》之
元帥《スイナリ》也本朝武《ノ》
将《ノ》之権輿《カ》乎

道臣命

林道春傳賛

大彦命者崇神朝為北陸将軍時聞武埴安彦叛而回自道率兵討之殺武埴安彦於泉河

武《タケ》傳《ヌ》川《カハ》別《ワケハ》者
崇神天皇遣《ツカハシテ》将
軍《ヲ》于四道《ニ》時《キ》賜《タマヒテ》
印《イン》綬《ジユヲ》為《ナサリ》東海将
軍

武傳川別

吉《キ》備《ビ》津《ツ》彦《ヒコ》者《ハ》崇神《ノ》馭《ギョ》寓《ウ》遣将軍《ヲ》於四道時《キ》此《ノ》人為《バ》西道将軍

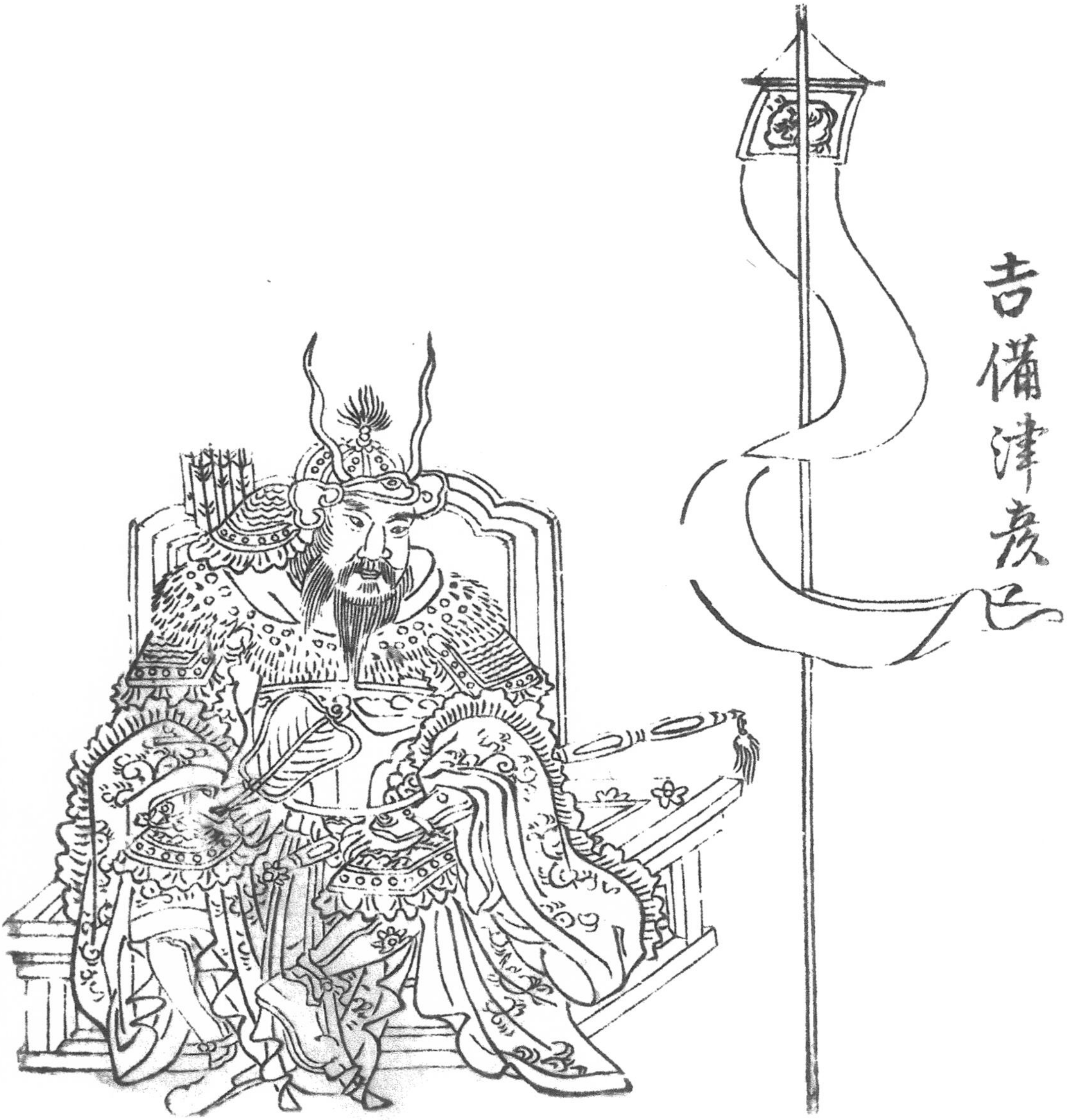

日本武尊者景行帝之太子也西征東伐平闔國陟方帝世其靈為神

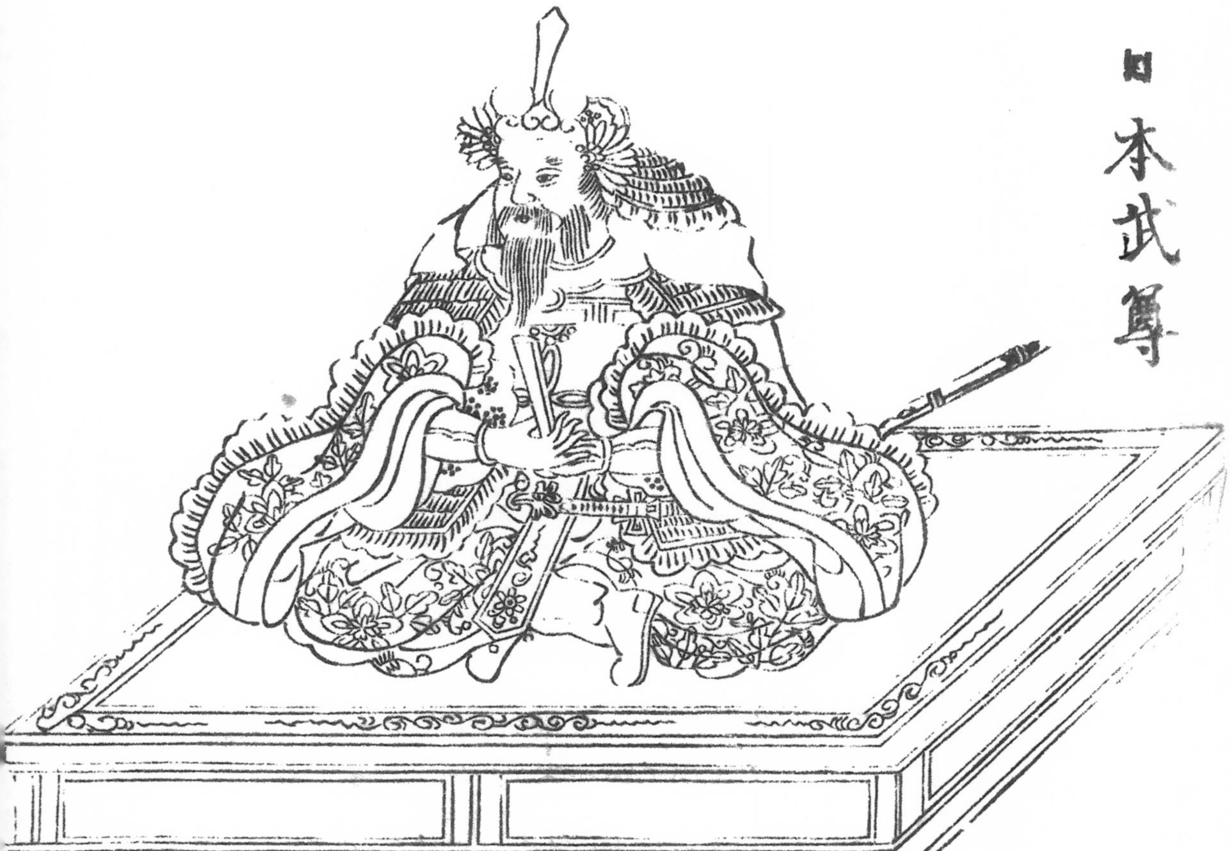

日本武尊

御《ミ》諸《モロ》別《ワケノミコハ》王若出《イデタリ》
自《ヨリ》崇神帝子
豊《トヨ》城《キ》命仕景
行奉命領東別
撃蝦《エ》夷《ビ》取其地

御諸別王

道《チ》主《ヌシ》ノ命ハ若 崇神ノ時キ為テ将軍ト趣《オモム》ク丹波ニ四道将軍ノ居《ヲリ》其ノ一ニ也

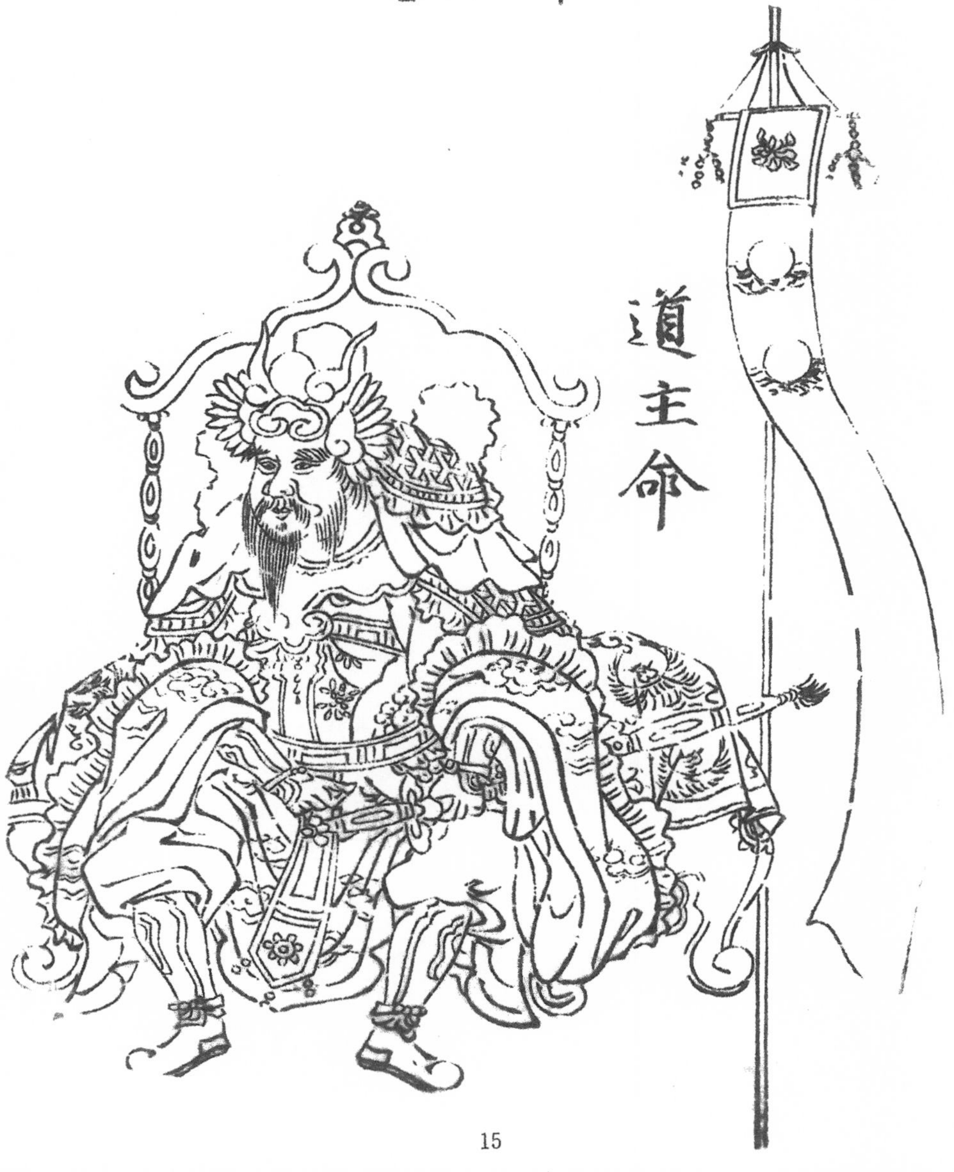

上《カミツ》毛《ヅケ》野《ノ》八《ヤツ》綱《ナ》田《タハ》

者

垂仁天皇《ノ》

時狭《サ》穂《ホ》彦《ヒコ》及《ス》八

綱田奉勅《ジテ》《ヲ》討《ツ》之《ヲ》

焚《ヤク》城《ヲ》狭穂彦焚《ヤケ》

死《ヌ》　天皇賞《ジ》之《ヲ》

賜《タマフ》ニ名《ヲ》曰《ヒ》向《ムケ》武《タケリ》日《ヒム》

向《カト》

上毛野八綱田

武《タケ》内宿《スク》禰《ネ》者紀氏之祖也歴仕景行成務仲哀神功應神仁德六朝享《ウクル》年三百餘歲其間為《ナリ》棟梁臣為《ナリ》大臣神功三韓之役《エキ》調護之勞最《モ》多又攻《セメテ》殺《コロス》忍《オシ》熊《クマ》王

武内宿禰

大矢《ヤ》田《ダノ》宿禰者
神功撃《ツ》新
羅時《キ》為《ナリ》之《カ》将且《ヲ》
留《ラ》守《ル》新羅《ヲ》

大矢田宿禰

田道

田道者仁徳時誅新羅有功其後攻蝦夷不利戦死其霊化為蛇夷人来過《ヨキル》者多被毒殺

大《オホ》伴《トモノ》金《カナ》村《ムラハ》者
仁賢天皇晏《アン》駕之
後誅平群真鳥及
其子鮪武烈即位
以為大連其後迎
繼體天皇于
越前而立之

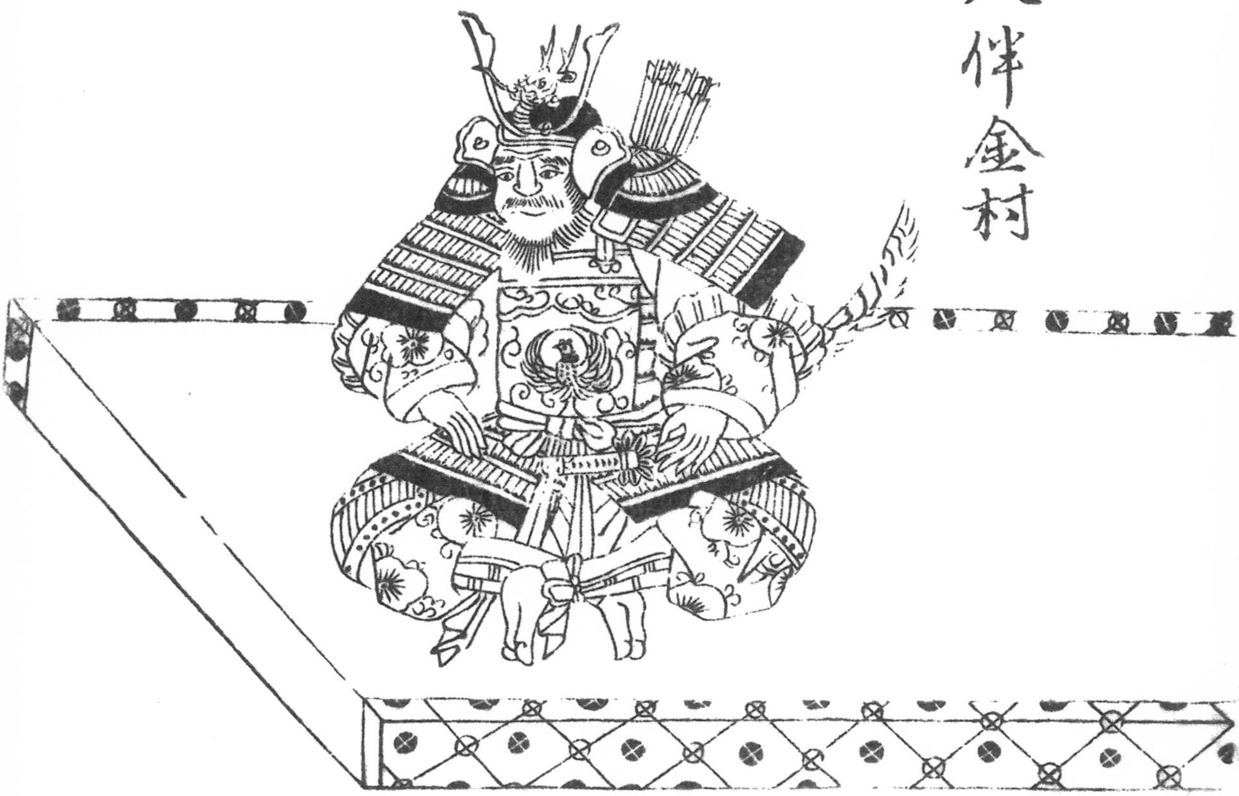

大伴《ノ》狭《サ》手《テ》彦《ヒコハ》者

欽明帝《ノ》

時奉《ジ》詔《ミコトノリヲ》率《ヒ》兵《ヲ》航

海以《テ》破《ル》三韓《ヲ》其《ノ》

妾《ヲ》曰《フ》松《マツ》浦《ラ》佐《サ》用《ヨ》

姫《ヒメト》

大伴狭手彦

阿部比羅《ラ》夫《フ》者
齊明朝
討蝦夷平之又
伐肅愼《ミシハセノクニヲ》獲《エタリ》生羆
及其皮若干《ソコハクヲ》

阿部比羅夫

朴《エ》市《ヂ》ノ田《タ》来《ク》津《ツ》ハ若
受
天智帝ノ之命ヲ救
百済ヲ与ト唐ノ兵大
戦ヒ于白江奮撃
死ス之

朴市田来津

高市王子者浄《キヨ》見《ミ》原《ハラ》帝與大友皇子戦時破大友軍而有功

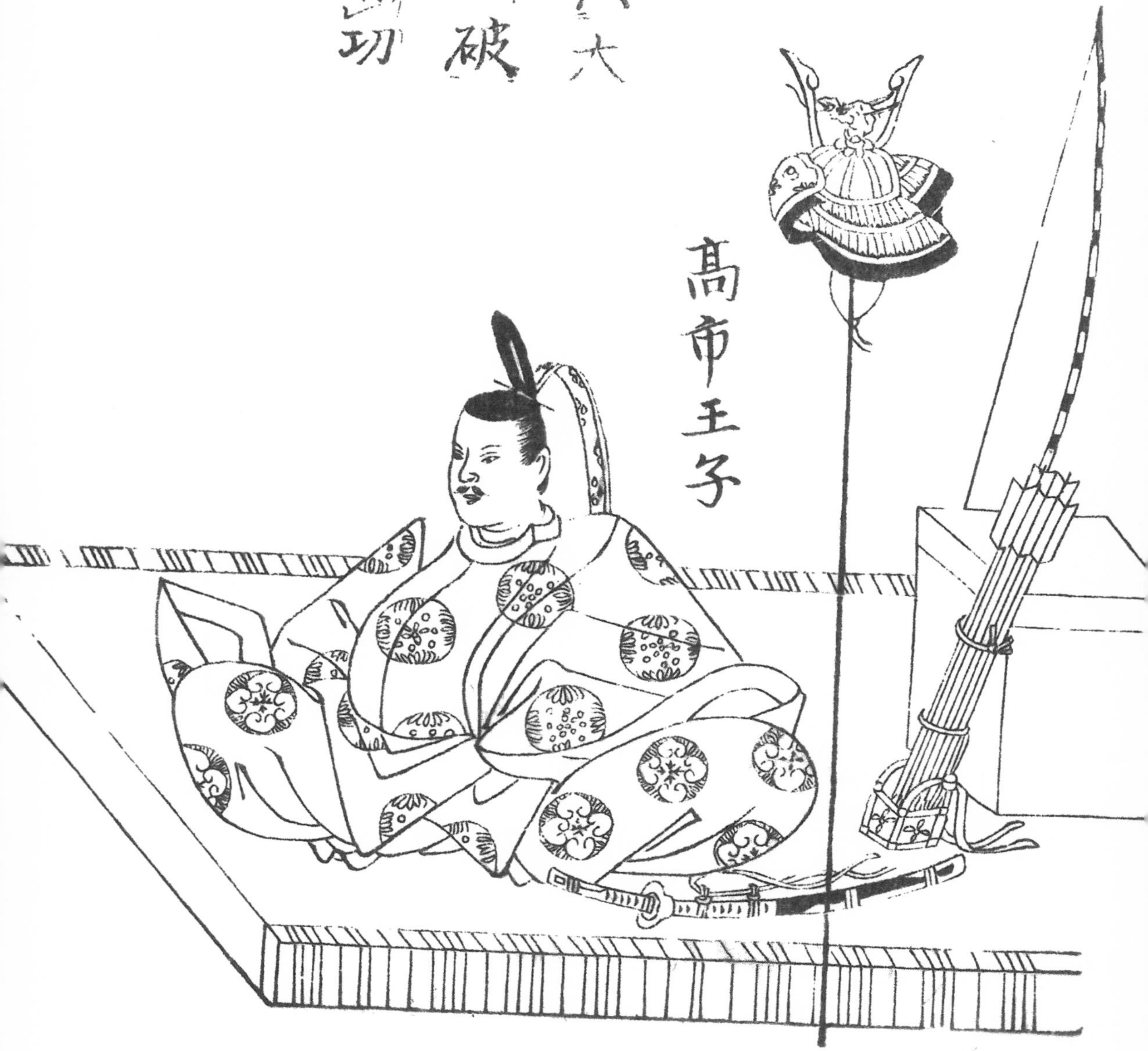

村國男依《ヨリ》者
天武之軍將也《ナリ》
壬申之乱攻
大友皇子兵於
瀬田克《カツ》之大友
雉経《クビル》其功亢高

村國男依

大伴吹負者壬申之乱属天武定大倭河内且與近江兵屢戦遂経營下方軍功居多

大伴吹負

大《オホ》野東《アヅマ》人者《ハ》聖武帝時藤原廣嗣反《ス》于築紫東人兼《テ》殺往《テ》戦《フ》廣嗣敗亡《ス》

大野東人

藤原蔵下麻呂若
孝謙御宇恵美押
勝《カツ》反奔江別使諸
将討之不利蔵下
麻呂急進撃獲押
勝斬之

坂上苅田麻呂者田村麻呂父也押勝謀逆之日受髙野天皇之命射殺押勝子訓儒麻呂當髙野天皇之崩也道鏡覬覦之心苅田麻呂知之告其奸計焉仁帝賞之授正四位下為陸奥鎮守将軍

坂上苅田麻呂

坂上田村麻呂ハ者
為征夷将軍攻撃
蝦夷ヲ屢有リ其功延
暦大同ノ時也且ツ
仕ヘテ弘仁帝以テ誅ス
仲成ヲ

文室綿麻呂者弘仁時副田村討藤原仲成其後拜将軍征東夷復京為羽林大将軍

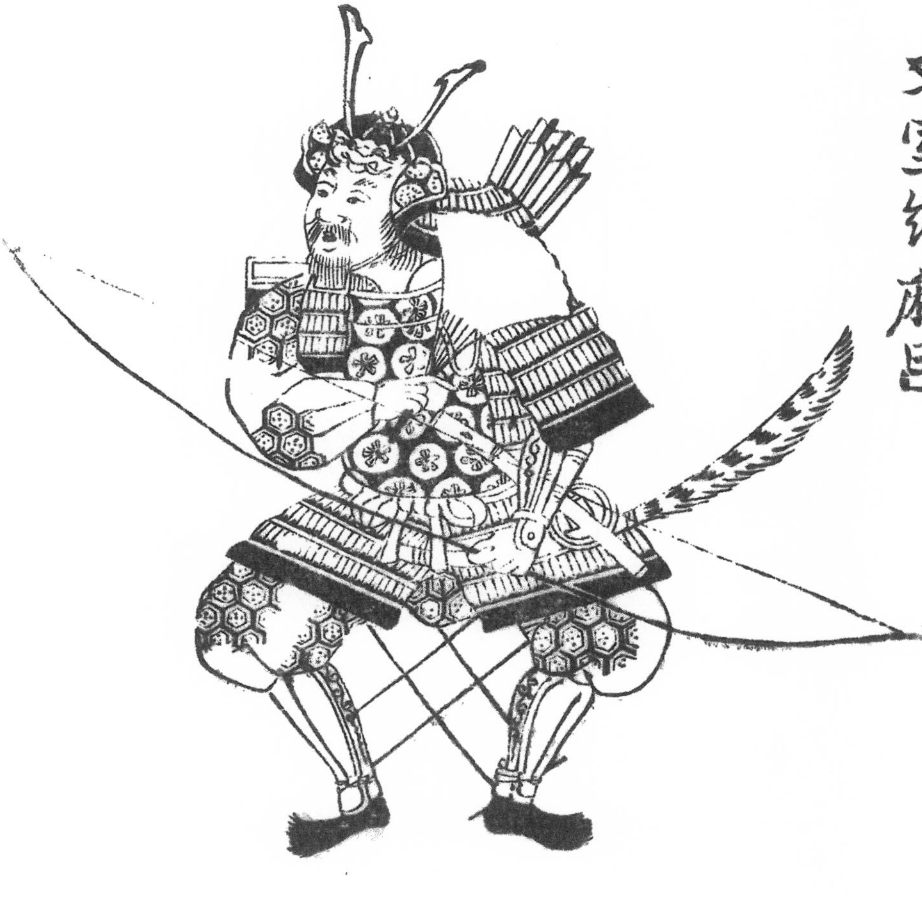

文室綿麻呂

藤原利仁、若延喜之世、率兵討奥賊、風雪之夜乗敵無備、鷙撃平之。

藤原利仁

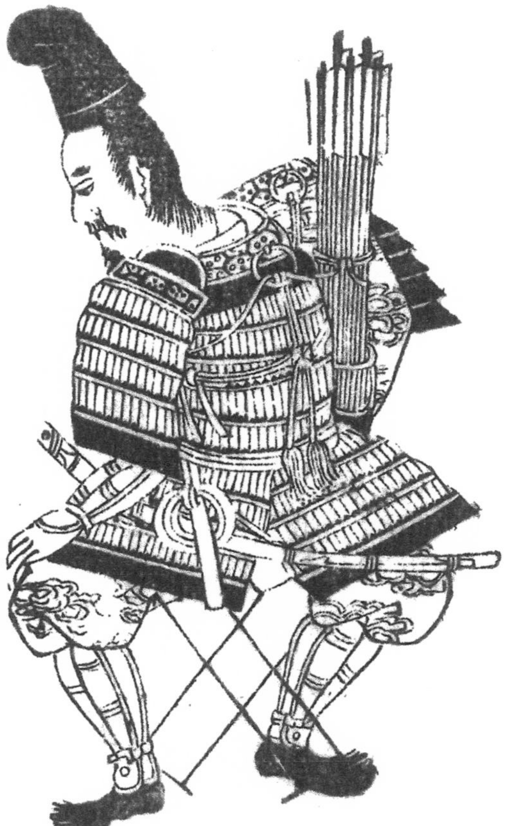

藤原忠文者彖事
將門天慶純友反
逆時共蒙追討使
之詔雖然與藤原
實《サネ》頼《ヨリト》有郤《カクニシテ》而不預
賞

藤原忠文

平貞盛若
朱雀帝之御宇進
兵與平将門相戰
放矢殪《タフス》之以誅朝
敵以復父讎

平貞盛

藤原秀郷若斬
将門獲《エツ》其頸遂
以武名顯於世

小野好古者承慶之乱拜追討使長官統諸将征藤原純友南海西海到處皆有功純友伏誅

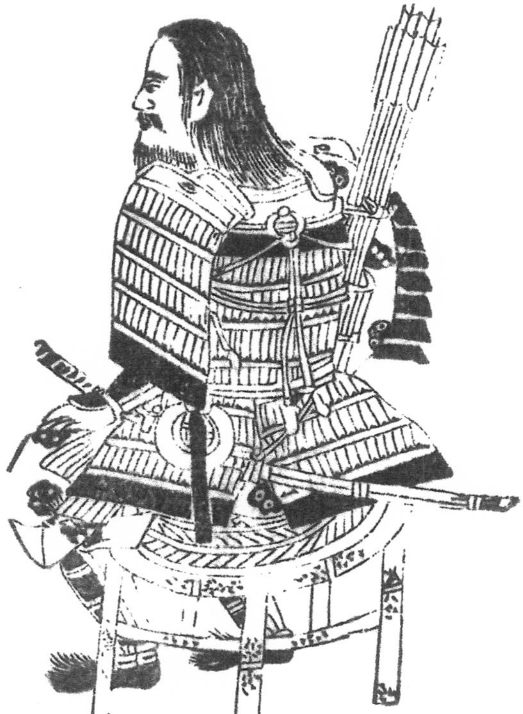

小野好古

源經基者《ハ》清和帝之孫桃園親王之子也《ナリ》號《ス》六孫王兼平年中早《ク》知《テ》將門《カ》之反《ヲ》奏之《ヲ》拜副帥而東征又與小野好古共征《ス》純友《ヲ》

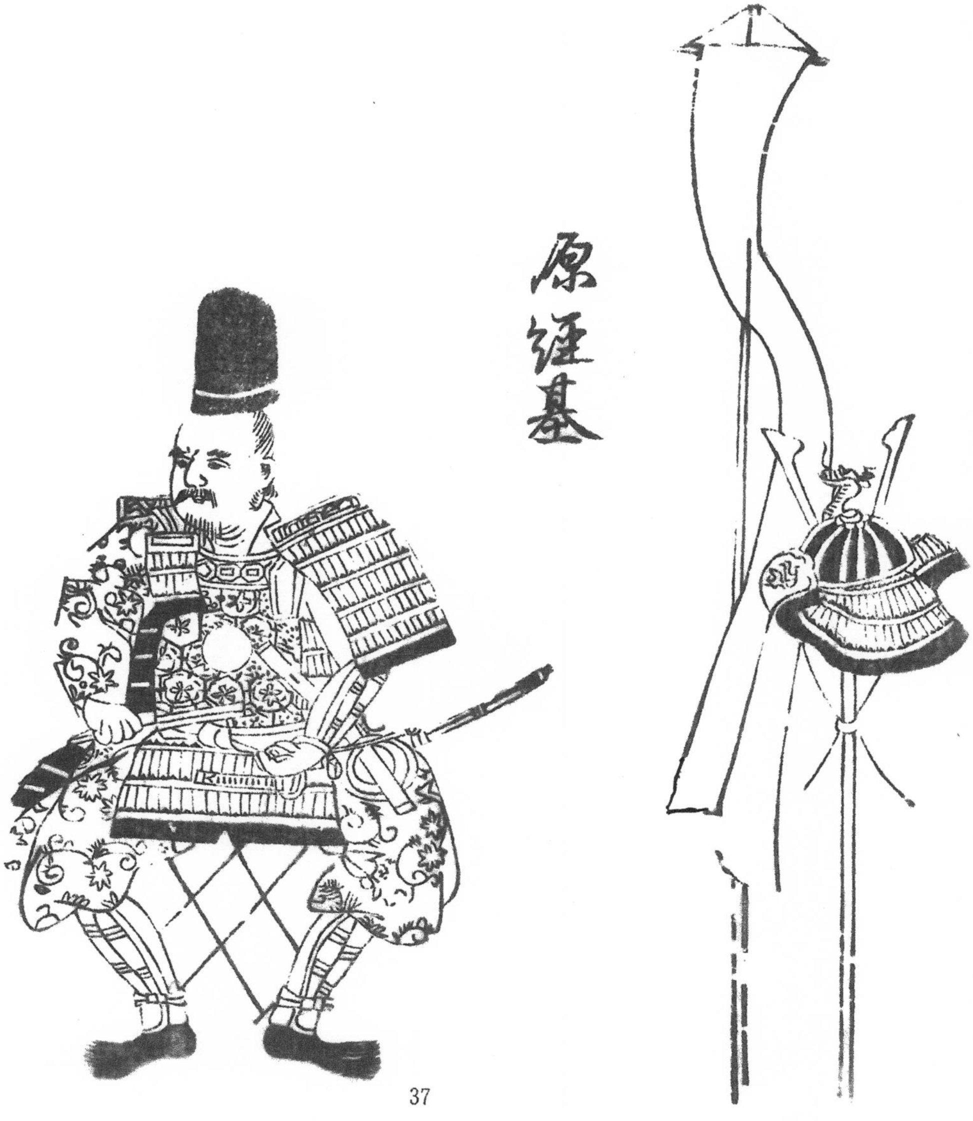

橘遠保ハ着勵官兵ヲ討テ藤原純友ヲ擒之天慶年中也楠正成其後裔也

橘遠保

源満仲者六孫王之子《ナリ》也當《アタツテ》高《タカ》明《ミツ》公之不虞《ニ》而警衛《ス》禁中《ヲ》既《ニシテ》而高明左遷《セラル》

平ノ惟茂ハ者号ス餘五將軍ト。曾テ在リテ奥州ニ為メニ藤原ノ諸任カ被レテ攻メ殆ト死セントス。幸ニシテ得テ免ルコトヲ而テ遂ニ殺ス諸任ヲ。其ノ威振フ東北ニ。世ニ傳フ惟茂入テ信州戸隠山ニ斬ルト妖鬼ヲ云フ

平惟茂

源頼光《ミツ》者滿仲長子也勇名籍甚《ハタハタし》為鎮守府将軍伊吹之山凶賊伏誅市原之野狡童授首

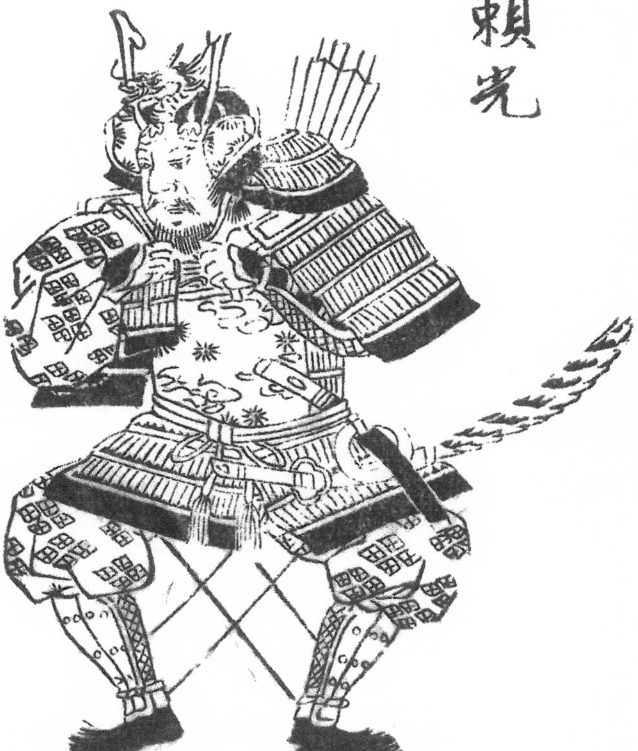

源頼光

源頼信者清和源氏之嫡流也撃《ウツ》平忠常于下總國時素《モトヨリ》知浅深先驅渉海諸卒従焉忠常大驚懼乃降

源頼信

源頼義者頼信子也永承年中東夷属叛頼義任陸奥守拝鎮守府将軍討酋長安倍《ヘ》頼時及其子貞《サダ》任在陣十二年寇賊悉平東列群士皆属其麾下凱《ガイ》旋《セン》時為伊豫守

源義家者頼義之
子也有雄勇善騎
射従頼義于奥州
誅貞任宗任其後
又討武衡家衡平
之源家之嫡流八
幡太郎是也

清原武則若引兵自出羽國來援源頼義勠力以破貞任宗任矣頼義賞之

清原武則

源義光者號新
羅三郎赴奧州
爲兄義家擊武
衡家衡有軍功
善知騎射禮式
其子孫世傳之

源義光

藤原清衡者武衡家衡拒命之時屠義家有軍労成功之後義家付清衡以陸奥之事其子基衡其子秀衡其子泰衡

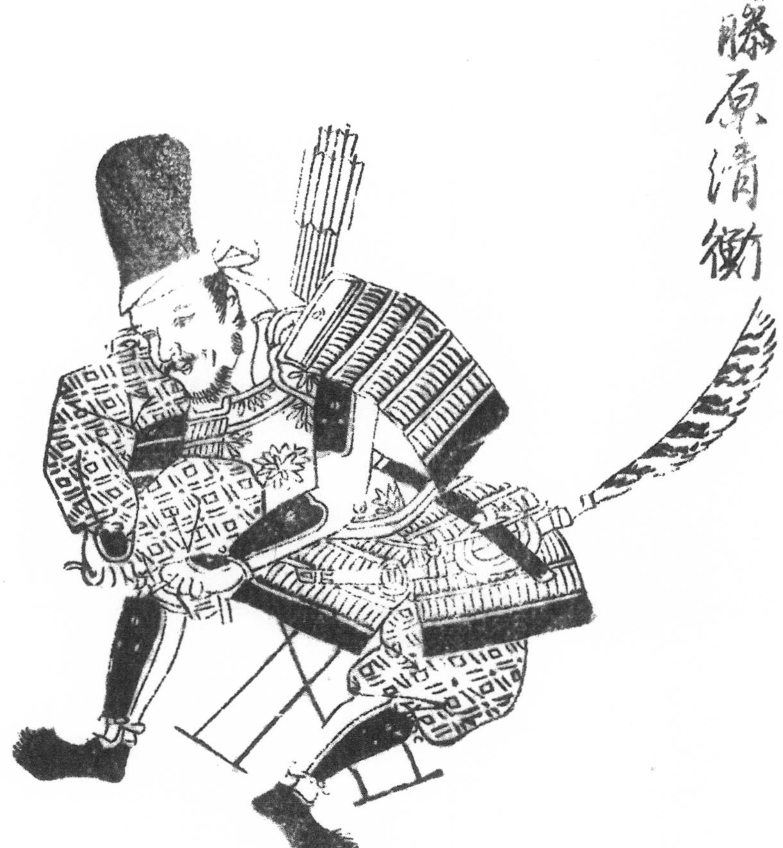

平正盛若平旗之後也奉命撃源義親時康和年中也

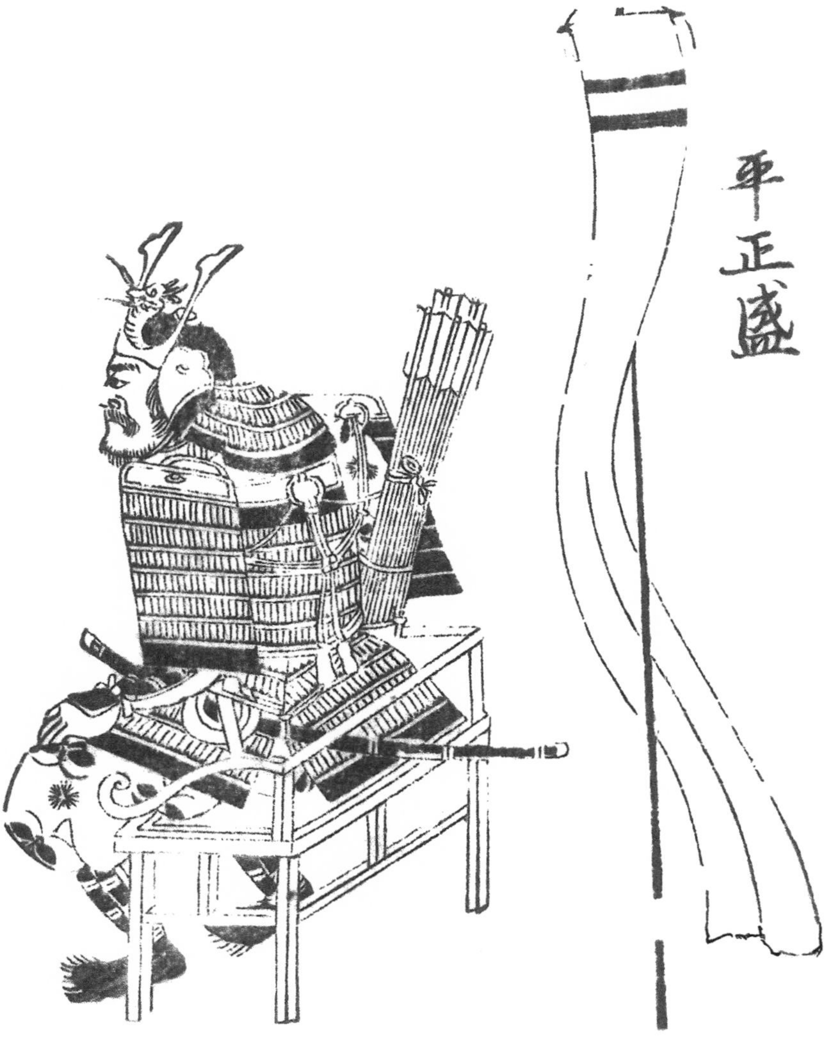

平正盛

平清盛若保元平
治之乱与源氏相
戦遂殺為義義朝
等而後威振闔國
官登上台族里盛
暁栄貴驕富人皆
側《ソバダツ》目

平清盛

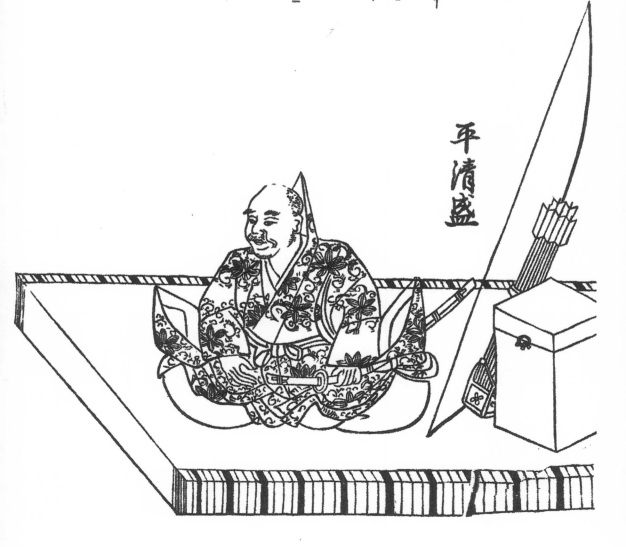

源為義者義家子也號六條判官嘗在京為禁衛會南都群僧蜂起為義總率十餘騎討却之保元之變不得志而死

源為義

源義朝若鎌倉右
大将之父也保元
之乱有戦功因領
東海道諸州之守
護

源義朝

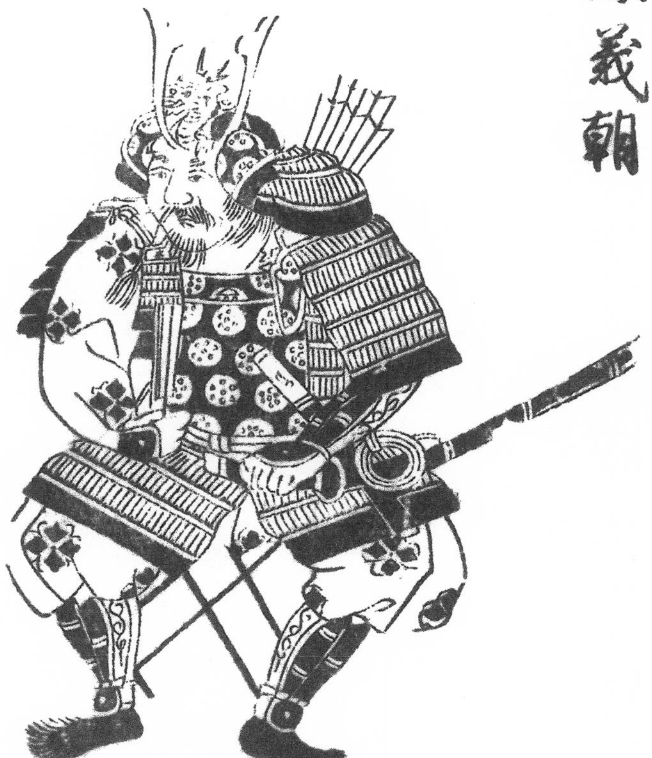

源為朝若為義八男膂《リヨ》力《リヨク》勝《スグレ》人善射善戰嘗在鎮西押領九州應徵歸洛保元之亂守　崇德上皇之宮射殺敵兵多矣衆無不辟易既而　上皇南狩為朝謫伊豆大嶋島人并邊夷皆畏伏嘉應年中官兵來攻之為朝一箭射破蒙衝而遂自殺

源為朝

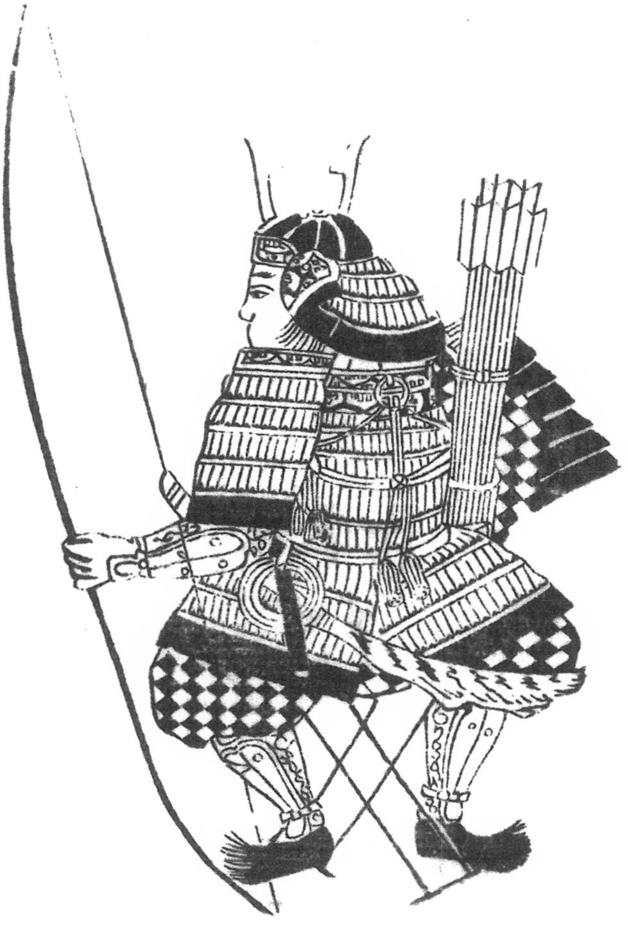

源義平者十五歳撃殺義賢于大蔵谷十九歳連破重盛于待賢門二十歳為清盛被殺俗稱悪源太

源義平

源頼政ハ者頼光ノ之裔ナリ也善ク射ヲ善ク倭歌ヲ秀《ヒイデタリ》ニ于士林ニ治承ノ之間欲シテ滅サント平氏ヲ遂ニ挙ゲ戦ヲ於宇治ニ自殺ス

源頼政

平重盛若清盛長
子也平治之乱守
禁中与義平相戦
数回遂立軍功官
階登庸任内府兼
左大将挙世皆仰
之不幸即世無不
哀惜焉

平重盛

平教經者平族之
勇將也工射西海
南海之間連戦連
克壇浦之役欲与
義經相撲而不成
遂奮呼投海而死

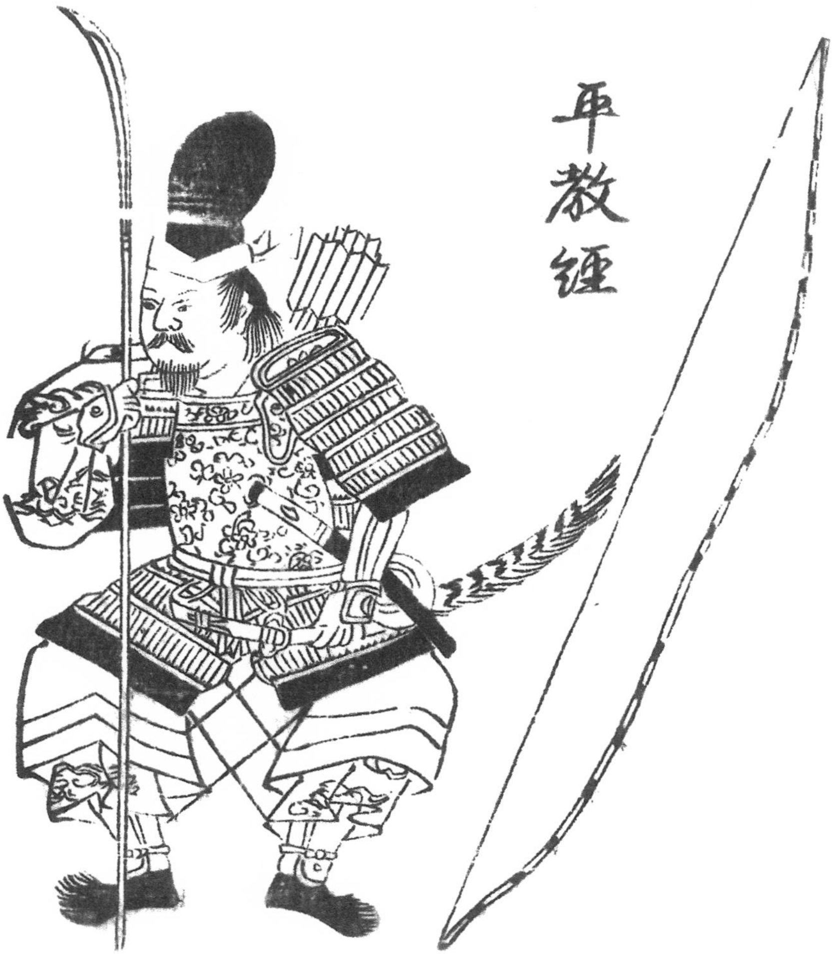

平教經

源義仲若起兵信州
屢與平軍戦多利遂
経営北陸而入京師
平族西趨《ハシル》朝廷賞之
為《ナス》征夷将軍驕僭之
餘攻逐上皇而後
与頼朝兵戦敗死

源義仲

源頼朝者幼嘗險艱了且崛起東州奉後白河上皇旨乃遣東卒踏義仲殲平家且自征東奥殄泰衡首上皇大嘉之以為六十餘州總追捕使所武人管領桑域昉於此

源義經者頼朝季弟也戰則勝之攻則取之本朝古来無出其右者可謂暗合孫呉壓倒韓白也其事蹟載在口碑

源義經

上総廣常者関東之良族也頼朝於山敗衂《チク》之後廣常率兵二萬来帰焉其功最多既而頼朝殺之而後宥悔

上総廣常

千葉常胤若柳営
之老臣士林之甲
族也《ナリ》鎌倉草創時
頼朝依侍之如父
毋西海東奥戦功
藉《ヘナタ》甚

千葉常胤

和田義盛者属頼朝麾《キ》下往々有軍功司武士衙《ガウ》

和田義盛

梶原景時者初属平軍石橋之役脱頼朝於厄遂《ツイニ》従頼朝眷《ケン》遇《グウ》委任之一ノ谷壇ノ浦軍功稍多与列之戦近侍幕府常有虎市之佞《ネイ》果招狐崎之禍《ワザハヒヲ》

梶原景時

畠山重忠者勇而有力頼朝眷待之渥常為先驅宇治河之軍一谷之戦奥州之役皆有軍忠後為北條時政被冤殺

畠山重忠

土肥實平ハ者從
頼朝ニ于石橋于
房州ヘ到リ雙ニ背リ軍
労遂ニ攻ム一ノ谷ノ之
平面ヲ

土肥實平

三浦義澄者亦頼朝之士也其父義明為頼朝守城而死義澄[illegible]軍旅従行居多

三浦義澄

小山朝政若秀郷之胤治承之亂起兵於野州以應頼朝時志太義廣率兵數萬來攻之朝政纔將數百人擊破之其後與弟宗政朝光屢々戰場相共從焉

小山朝政

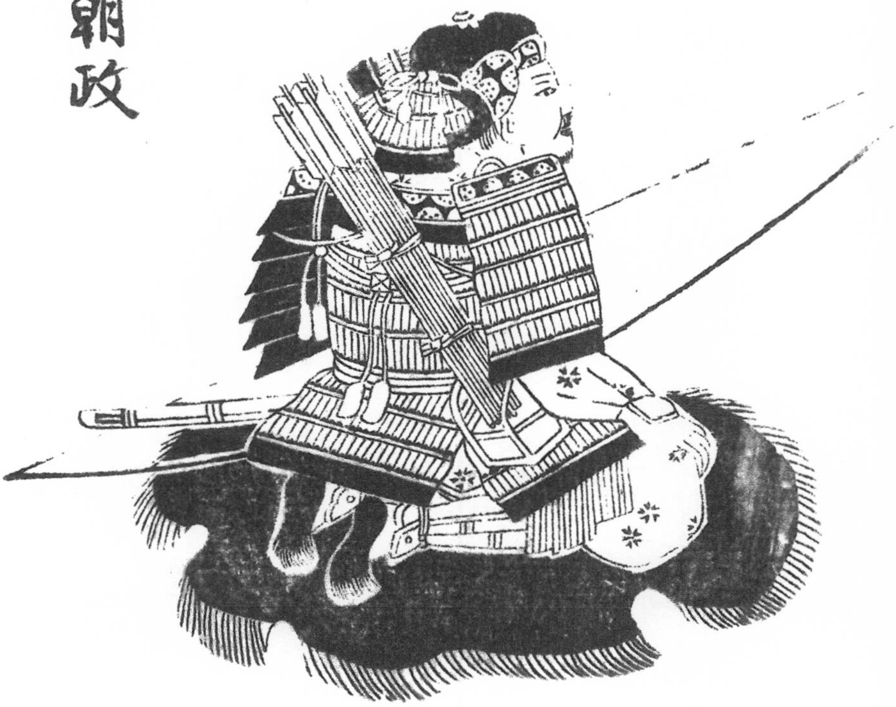

佐々木盛綱若江州之士而頼朝之将也勇名稍多馳馬于藤戸以却平軍進兵于馬坂以擒坂頭

佐々木盛綱

平ノ泰時、看北條義時セ之子ナリ也。累世執ル権ヲ于幕下ニ。故ニ世ヨ稱ス副元師《スイ》ト。承久ノ之役、率ソ軍ヲ破リ敵ヲ渡テ宇治川ヲ入ル洛ニ。其子時氏從フ。三帝ヲ殺ス寇敵ヲ。別ニ立テ天子ヲ置テ六波羅ニ以テ守ラシム京都ヲ。乃チ悔ノ鎌倉ニ。

平泰時

足利義氏若頼朝之親戚也建暦年中和田一族及時義氏仕實朝公宗營門拒賊且身自与朝夷名義秀相當其功拔群即是尊氏之先一

足利義氏

平時頼若有智略有威量嘗《テ》察三浦泰村《カ》之有容謀而急攻《セメテ》殺《ス》之《ヲ》遂廢将軍頼嗣《ヲ》迎《ムカヘテ》宗尊《ヲ》于京師而奉之《ヲ》為《ス》幕府世稱《ス》副元帥《スイ》後號《ス》最明寺道崇《ト》

平時頼

護良親王者後醍醐帝之子也元弘之騒擾在吉野壘《ルイ》敵急攻逃去匿《カクレ》山中其際《アヒダ》運密策數矣國寧後為征夷將軍遂被讒殺

護良親王

氏者清和源胄也元弘之亂奉醍醐天皇之詔《ミコトノリ》破六波羅使翠花洛其後東畧平北條寇乘其勢連自網征夷大將軍以入京既而奉光明帝興義貞正成相戰冒軍遂《ツイニ》得成功其餘軍務猶多艱難備《ツブサニ》嘗四海漸平累世開幕府

源尊氏

源義貞者得護良皇子之令旨而挙義兵攻鎌倉屡戦屡勝不逾月而高時伏誅後醍醐帝再践宝位義貞之功不少矣既足利氏作乱義貞承《ウケテ》勅征之連年百戦官兵遂《ツイニ》挫黒丸城下失其命惜哉

原義貞

楠正成ハ若本姓橘氏有リ忠義ノ之勇有リ籌策ノ之巧其ノ守城野戦ノ之労皆ナ是レ勤王ノ之志也ニナリ人ミ悉ク知ル之ヲ不贅《セツセ》此《ココ》

楠正成

那和長年者伯州之
豪也元弘年中
後醍醐帝逃出隠州
徴幸伯州長年奉迎
之以船《フナ》上《カミ》山為行《アン》宮
而破賊兵因賜因幡
伯耆兩國建武之後
最勞軍務遂戰死

那和長年

赤松圓心若受
權良之命与六波
羅兵相戦頻鵠軍
勞然恨無恩封及
尊氏之謀反也率
其子弟而歸之遂
為官軍之巨害

赤松圓心

宇都宮公綱者姓藤氏與正成欲戰于天王寺不果其後軍夏若于《ソクハクナリ》

宇都宮公綱

源顕家者　村上源氏累世縉紳也弱冠叙三品任参議且兼陸奥守在國時聞建武乱帥師入洛破尊氏拜鎮守府将軍其後再挙《コゾツテ》討賊屢有勝利既而軍敗没於陣惜哉

源顕家

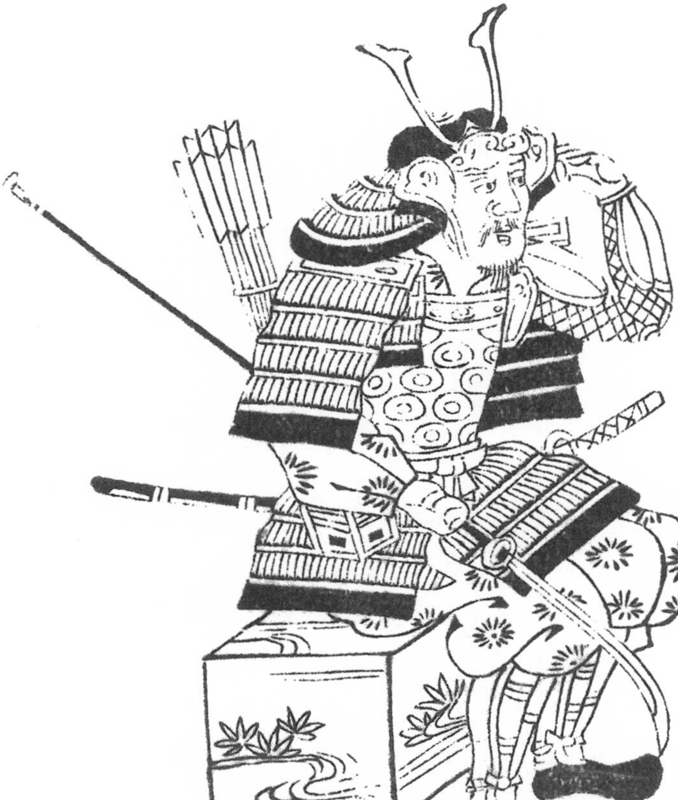

楠正行者正成子也年少有父風雖励継志之思不幸没于軍可惜哉

楠正行

源義助者義貞弟也號脇屋。初義貞之討高時也義助勸義貞速起義兵。既而高時殲以功賜駿河國。洎義貞之伐尊氏也義助奉皇子赴竹下官軍不利義助戰拔其子義治於萬衆之中其勇鋭《エツ》不可義貞尊氏比年之軍爭義助常有其勞焉義貞死于越前黒丸城下義助憤恥之奮攻陥之其後到吉野受南帝命而赴南海將再倡大兵殊義而卒

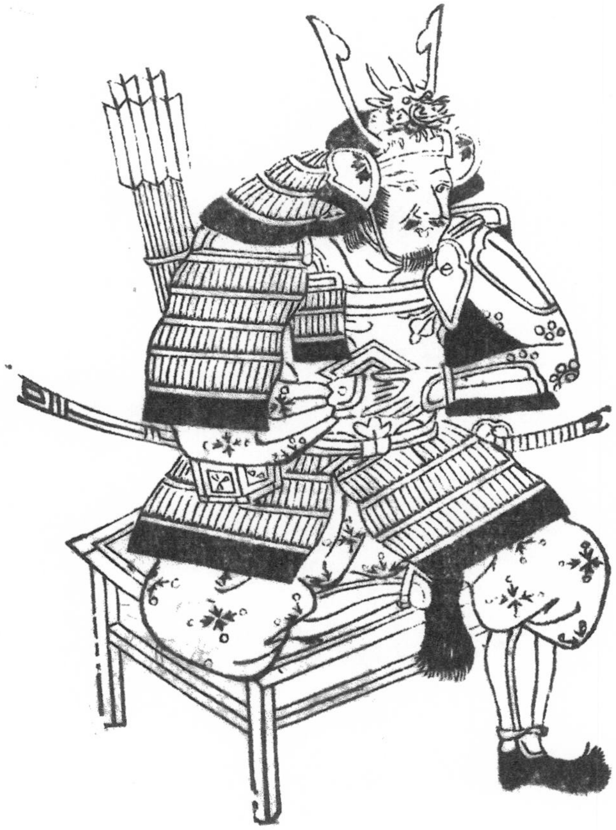

源義助

足利高經者尊氏之族也從軍有勇守北陸居越前黒丸城義貞屢攻不克而死於是高經功名尤著其後有故暫屬南方悔過歸仕義詮居執事職既各道朝其別號曰斯波世所謂武衛是也

足利高經

定禅若《ハ》嘗《テ》以《テ》二百《ヲ》勝《ツ》敵《ニ》二萬《ニ》雖《モ》不《ト》當衆《ニ》然《モ》有《テ》時而偶然《タルカ》乎其《ノ》餘《ノ》戦《ノ》闘猶習《リ》焉

細川定禅

赤松則祐ハ者圓心ガ之子ナリ也。嘗ツテ自リ邑《ムラ》上《カミ》源氏奉ヒ後醍醐ノ勅ヲ應シ護良親王之旨ニ以テ兵ヲ攻ム六波羅ヲ。然ルニ以テ不見加ヘ賞ヲ、遂ニ就キテ尊氏ニ屢勤ム軍事ヲ

赤松則祐

桃井直常ハ若尊氏ノ之族也　曾師楠正成学兵法建武之乱屢立戦功既而属南朝武進攻京師以破義詮武退擒越中而守城塁凡所到顕其名

桃井直常

山名時氏者尊氏
之将也勲功
不少一旦属南方
与足利氏相戦者
則罕其後又去官
為武臣

山名時氏

新田義興若義貞次男也曾師師入鎌倉破義詮又進到京師守八幡既而歸東州正平年中起兵与畠氏相戰再陥鎌倉人服其勇其後被竹沢氏誘膠舟而没

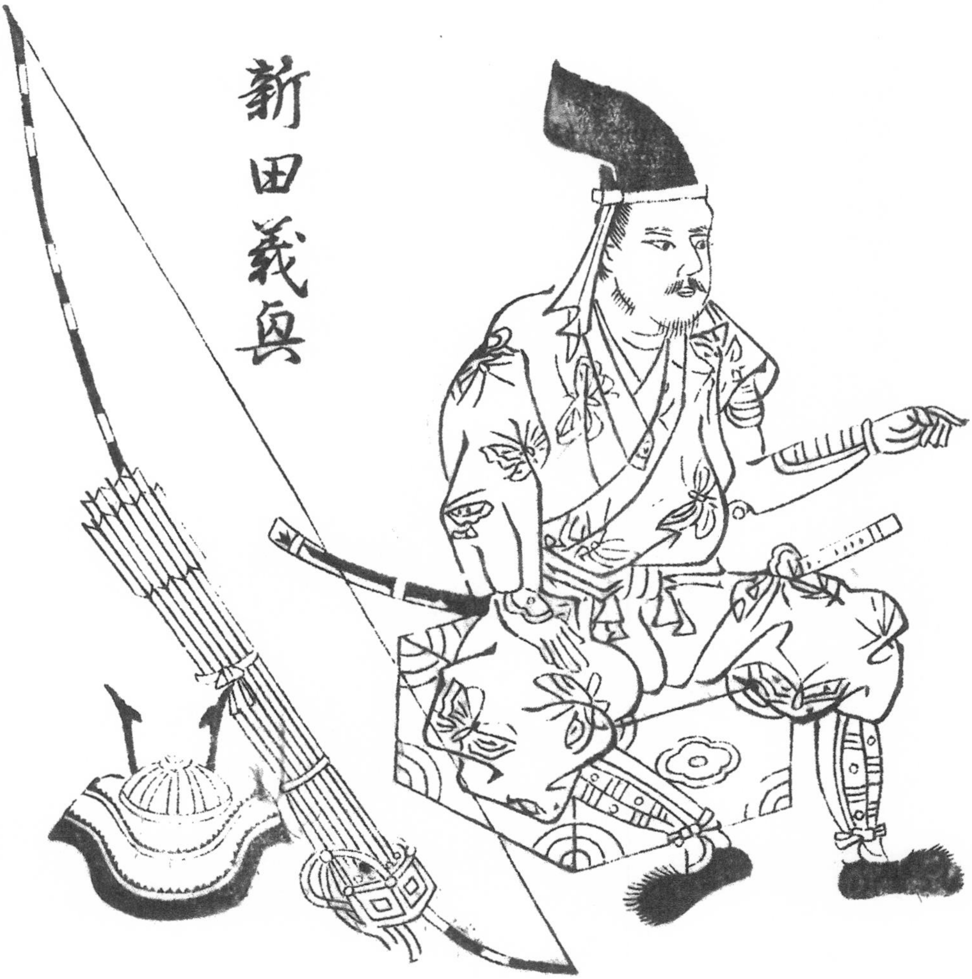

菊池武光者姓ハ藤
氏西列ノ之勇将也リ
継ニ父武重カ之志ヲ能ハ
輸《イタス》ニ勤王之忠ヲ拉《トリヒシキ》ニ少
貳ヲ擢《ヌキンデ》ニ大友ヲ靡《ナビケ》ニ宗像ヲ
掠《カスメ》ハ島津ヲ九列望ニ風ヲ
而長《ナガク》靡《ナビク》

菊池武光

楠正儀ハ正行ガ弟ナリ守リ父兄ノ業ヲ候ニ吉野ノ宮ヲ保護不懈ラ屢覲ニ京師ヲ破リ敵軍ヲ其ノ後義詮及ビ畠山ノ道誓率テ大軍ヲ来攻ス之ヲ正儀防キ戦有リ日矣敵遂ニ退帰ル

楠正儀

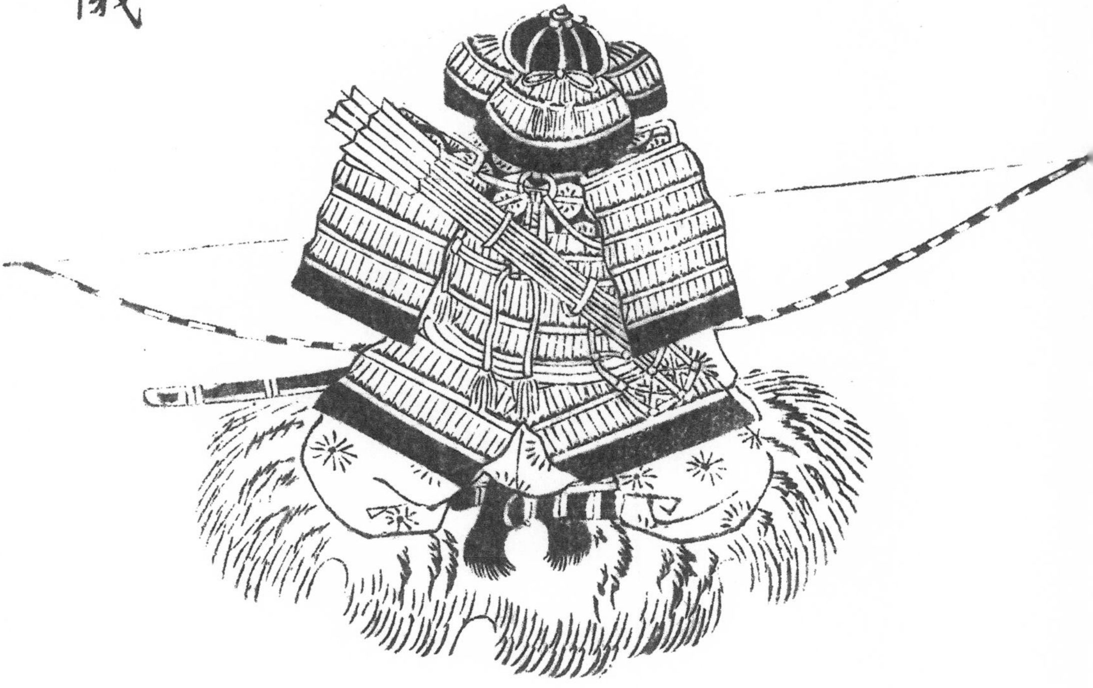

足利基氏者尊氏之子義詮之弟也尊氏使之居鎌倉而為東州之鎮基氏善用兵攻撃其不従我者累戦累捷東國漸平皆其功也

足利基氏

源義満ハ幼歳ニシテ雄偉ナリ柳營之威權於テ是ニ為盛ハ近而内野之戰捷ヲ遂ゲ而筑紫之凱旋領ス闔國兵馬之政ヲ所謂鹿苑院相國是ナリ也

細川頼之若義満之輔佐也其調護之労居多勸之以平南方撃兇別遂為四國管轄執事之重挙《コゾツテ》世知之

細川頼之

大内ノ義弘ハ若姓ハ多
多良氏鹿苑相国ノ
之将也《ナリ》明徳ノ之乱ニ
有力戦ノ之功又諭サシ
南帝ヲ調フ和睦之
儀ヲ又攻テ西列但ス乱ヲ
若ヲ平ク之ヲ其ノ後謀遂タ
戦死ス于泉堺ニ応永
年中也《ナリ》

大内義弘

畠山ノ基國ハ義満之管領也應永年中ニ大内ノ義弘叛シテ據ル泉堺ニ基國往テ攻メ之ヲ遂ニ斬ル義弘ヲ

畠山基國

上杉憲實者鎌倉管領之重臣也將軍義
教之時持氏有自立之志憲實數諫不聽
而嫉之憲實竄訴京
師義教遣大兵攻持
氏時憲實率兵來會
持氏敗死其二子出
奔結城氏朝迎之納
之于城憲實從京軍
圍而攻之有年氏朝
遂戰死二子皆沒憲
實嘗寄納九經正義
于足利學校

上杉憲實

細川勝元者為源義政之管領山名宗全欲立義親為大樹与勝元相戦于京洛西軍互数萬相持年久宗全病死義親不得立應仁乱是也

細川勝元

山名宗全者初名持豊嘉吉年中赤松満祐殺義教公奔播州京軍進攻之持豊与諸将急撃抜其城誅満祐傳首京師義政公之時宗全入播州撃破赤松氏教祐則尚皆走死其後与細川勝元相悪結党聚兵両立于京中比年戦争互有勝敗應仁之乱是也

山名宗全

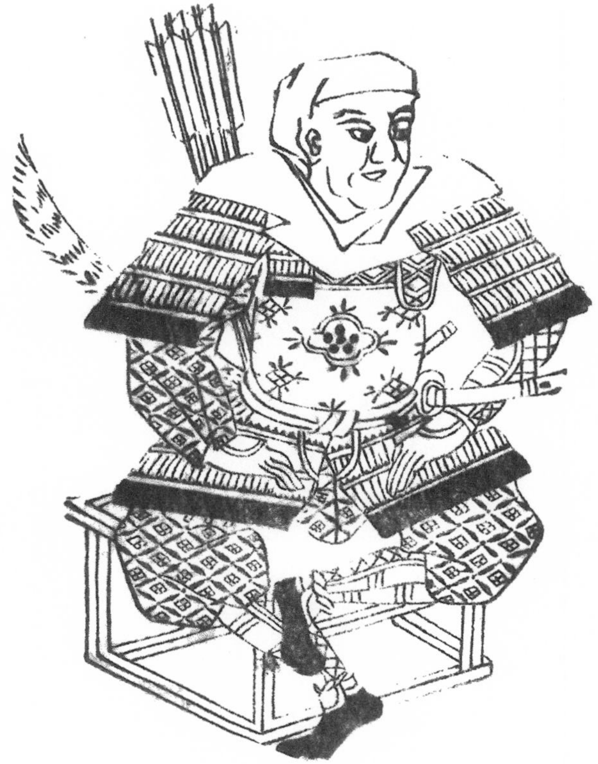

北條早雲ハ初ハ號ス
伊勢ノ新九郎ト一
且勃起取リ豆州ヲ
畧ス相州ヲ其ノ子氏
綱モ不ス忝《ハヅカシメ》所生ヲ

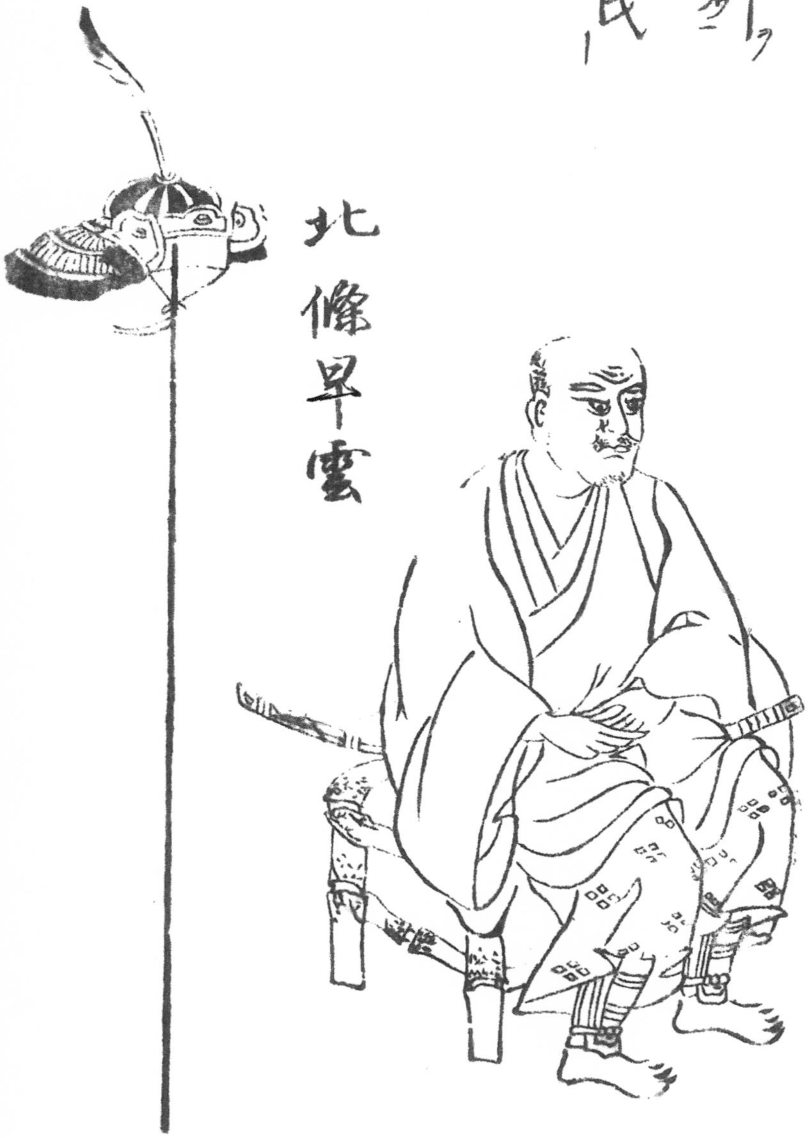

三好長慶若萬松院之時撃殺同族宗三而後入京侮武將陵管領其威權赫乎一時其子義繼遂殺義輝而足利氏亡

毛利元就ハ若姓ハ大江氏初メ攻テ陶《スヱ》氏ヲ而滅シ之ヲ撃テ尼子ヲ而克ツ之ニ遂ニ領ス山陰山陽十餘州ヲ

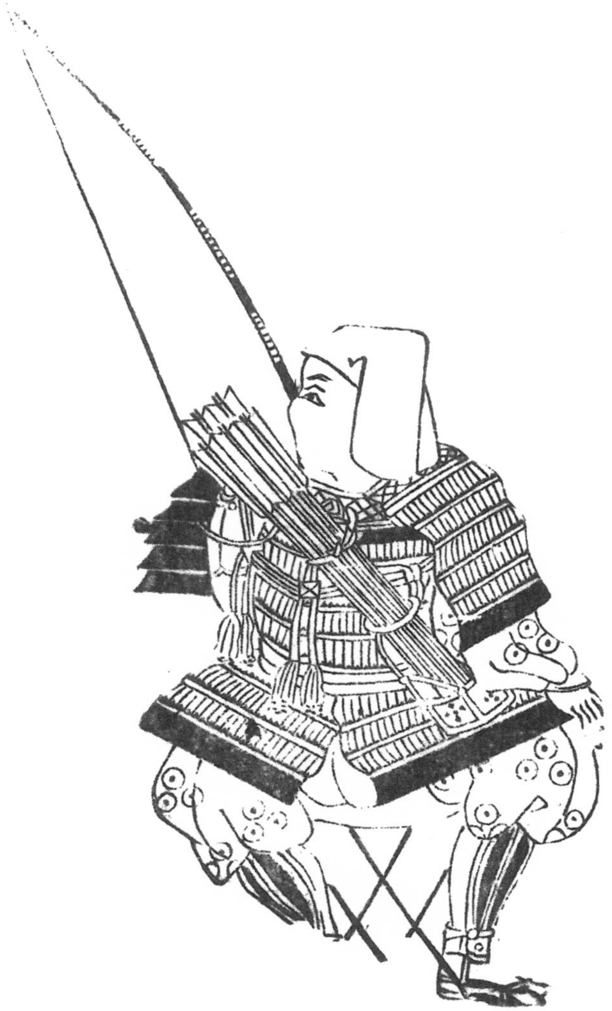

毛利元就

北條氏康者早雲孫氏綱子也三世相稟而高其門至氏康攻撃上杉氏逐之統領関左八州兵威漸振世居相州小田原城

北條氏康

武田信玄者初名晴信新羅三郎之後也勇而用兵破義清長時而領其邑与氏康信長相戦而争其地世多称其謀策長尾輝虎其敵手也

武田信玄

長尾謙信ハ若發兵ヲ
于越後ニ与武田信
玄相戦ヒ与北條相
挑ミテ入ル鎌倉而モ不能ハ
久保焉攻ム氏ヲ上杉ト

長尾謙信

齋藤道三ハ若初メ起テ自リ微賤領ス美濃國ヲ顯ハル於世ニ其ノ女《ムスメ》嫁ス織田信長ニ

齋藤道三

織田信長者姓平氏
出自尾州取江州奉
源義昭以為将軍撃
朝倉滅浅井令其子
信忠攻殺武田勝頼
諸州陥其指揮遂被
明智弑

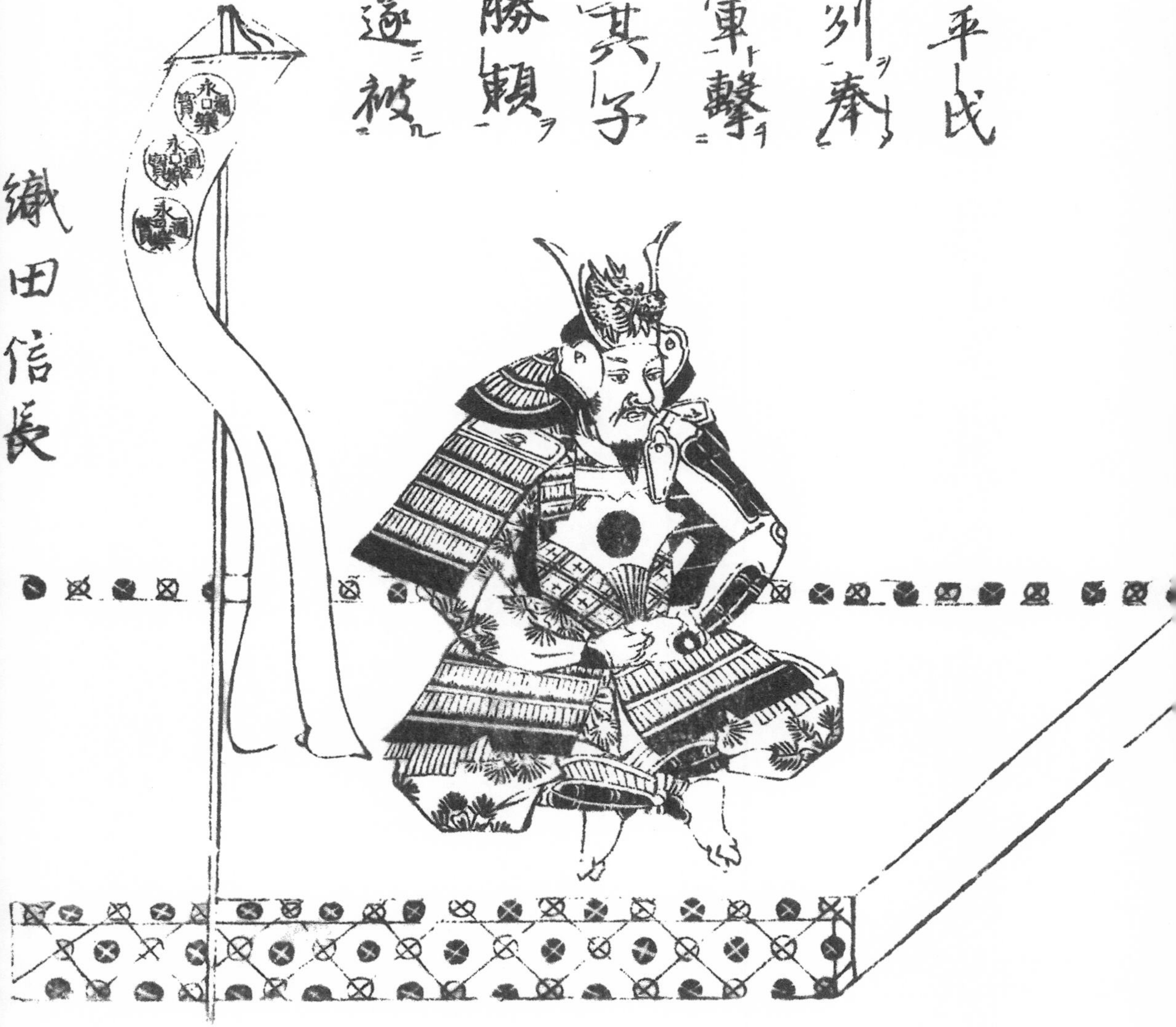

織田信長

織田信忠者信長嫡子也既長屢立軍功殪松永於志貴城戮荒木於伊丹壘其後督軍破甲州殲武田氏振旅旋雒未幾罹明智之變

織田信忠

柴田勝家者信長之将也稍有勇氣受信長之命与北國兵戦多有年而能平之遂領越前為北陸諸士之魁信長没後欲害秀吉而成大事不克為秀吉破殺

柴田勝家

豊臣秀吉者發自匹
遂握日本于掌内
仕信長多有謀畧
毛利討明智殺柴
擊島津滅氏政日
月盛升位歴官為
白而讓之世称太
又遣兵浸畧朝鮮
以播異域

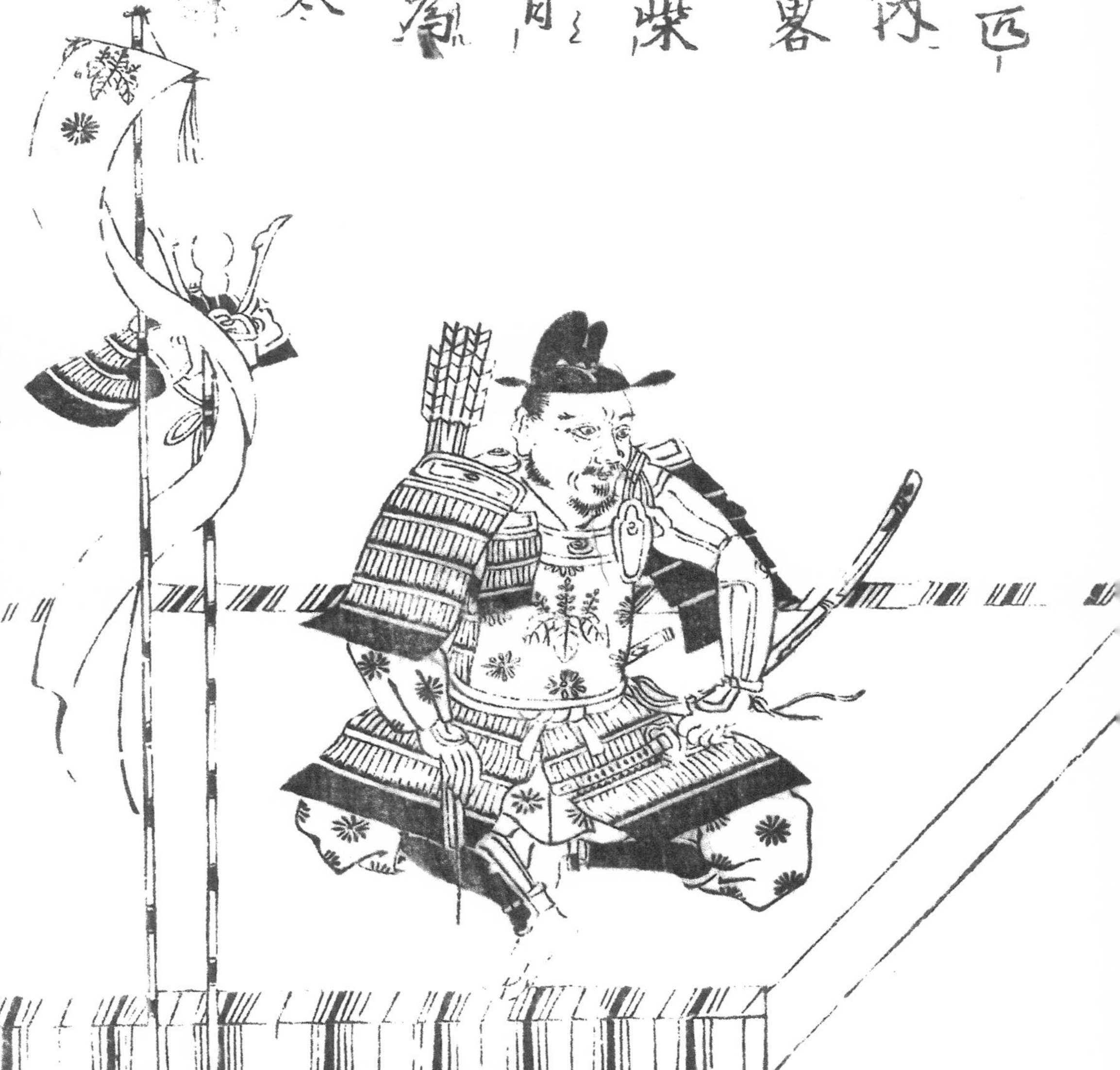

豊臣秀吉

本朝百将伝

令和四年五月一日（五〇制作）

出版者　大西与三左衛門

発行者　舟橋武志

発行所　ブックショップマイタウン

〒453・0012名古屋市中村区井深町一・一

新幹線高架内「本陣街」二階

TEL〇五二・四五三・五〇二三

FAX〇五八六・七三・五五一四

URL http://www.mytown-nagoya.com/